Para Carlota, porque su visita siempre es una fiesta.
Margarita Del Mazo

A Juana y Ulises.
Natalia Colombo

© Ediciones Jaguar, 2016
C/ Laurel 23, 1°. 28005 Madrid
www.edicionesjaguar.com

© Texto: Margarita Del Mazo
© Ilustraciones: Natalia Colombo

IBIC: YBC
ISBN: 978-84-16434-27-5
Depósito legal: M-7610-2016

La visita

Una historia para leer en voz baja

Margarita Del Mazo
Natalia Colombo

miau

Me visita cada noche.
Aparece en mi habitación
cuando toda la casa duerme.

Al escuchar los ronquidos de mamá,
que es la última en acostarse, me oculto bajo
las sábanas y me enrollo como un bicho bola.

Para no ser descubierto,
saco solo un ojo.
Pronto veo aparecer
su espantosa pelambrera.

Entre esa maraña
de pelos alborotados,
asoman dos orejas
deformes capaces de
escuchar cualquier
ruido.
Yo respiro muy
bajito para que
no me oiga.

Mi corazón se acelera cuando
descubro sus inquietantes ojos.
Sé que me buscan porque brillan
en la oscuridad como canicas.

Se aproxima lentamente,
sin dejar de mover
esa ridícula y pelada nariz.
Arriba, abajo, arriba, abajo.

Está tan cerca que puedo ver cómo
abre su boca y enseña los dientes.
Yo aprieto los labios y me aguanto
el deseo de gritar.

La luz que se cuela por la ventana señala un misterioso
agujero que tiene en la barriga. Es asqueroso.
Aún no sé lo que esconde ahí pero sus dedos siempre
andan buscando algo dentro.

Alcanza mi cama con
sus brazos esqueléticos.
Yo no me muevo ni un poquito.
Cierro los ojos con todas
mis ganas mientras contengo
la respiración.

De repente, le oigo susurrar:
—¡No te escondas, monstruito!
¡Te encontraré igualmente!

Ya no puedo aguantarme más
y grito.

—¡ESTOY AQUÍ!

Este niño es una criatura bastante
fea y extraña. Yo me lo comería.
Pero es mi amigo y, cada noche,
espero impaciente su visita.

Fin